# 고요한 열정녀

나를 알아가기 위한 내면의 소리

조연경 지음

고요한 열정녀

발  행 | 2024년 08월 01일

저  자 | 조연경

펴낸이 | 한건희

펴낸곳 | 주식회사 부크크

출판사등록 | 2014.07.15.(제2014-16호)

주  소 | 서울특별시 금천구 가산디지털1로 119 SK트윈타워 A동 305호

전  화 | 1670-8316

이메일 | info@bookk.co.kr

ISBN | 979-11-410-9504-8

www.bookk.co.kr

ⓒ 조연경 2024

# 고요한 열정녀

조연경 지음

# CONTENT

# 머 리 말

지금의 나는 무엇으로 이루어져 있는지, 지금의 나를 둘러싸고 있는 것들은 어떤 모습인지, 지금의 나는 어떤 꿈을 꾸고 있는지, 이 글을 쓰면서 나를 돌아보는 시간이 되었다.

글을 쓰려고 하니 더 많은 것들이 떠올랐고 살면서 잊고 살았던 기억들이 되살아났다. 그 모든 것들을 기록할 수는 없지만 지금의 나를 만든 과거의 나와 만나는 시간이 되었고 미래의 나를 그려보는 시간이 되었다.

이번 책은 나의 자서전적인 글보다는 그동안 살면서 느꼈던 것들을 글로 써 놓은 것들과 머릿속에 맴돌던 생각 중 일부로 구성되어 있다. 더 적극적으로 쓰지 못함을 뒤늦게 후회했지만, 이 모습 또한 지금 나의 모습이다.

시작은 언제나 있다. 처음은 서툴고 불완전하다. 나는 느리지만 꾸준히 노력하면 변화할 수 있다고 믿는다. 사람은 변하지 않는다고 말하는 사람들도 있다. 나는 경험 속에서 사람은 변화를 거듭한다고 생각한다. 그래서 사람을 바라보는 시선이 다른 이들보다 자유롭다.

사람을 변화시킬 힘은 사람에게 있다고 믿는다. 나를 변화 시키는 사람들에게 관심이 있고 나 또한 사람들에게 희망을 주는 사람이 되고 싶다.

# 제1화  꽃을 보듯 너를 본다

나는 꽃과 식물을 좋아한다. 봄이 되면 집 베란다에 식물들이 늘어나기 시작한다. 가족들 모르게 하나씩 하나씩 데리고 온다. 이 일이 가능한 이유는 다른 가족은 나만큼 식물에 관심이 없기 때문이다. 가끔은 무심함에 상처 받기도 했다.

나에게 디테일한 관심이 없다는 것이 나쁘지만은 않다는 사실은 살면서 얻은 지혜이다. 간섭없이 내가 원하는 대로 할 수 있다는 점에서 장점임이 분명하다. 자기 위안이라고 해도 좋다.

나이가 들어갈수록 자신의 색이 분명해진다. 그만큼 자기 고집이 생긴다는 뜻이다. 내가 인정받고 싶은 만큼 타인의 관심이 나와 다름을 인정하는 일은 중요하다.

다름을 인정한다는 것은 존중의 의미이다. 이 경지에 이르는데 참으로 오랜 세월이 필요했다. 지금도 몇 번씩 상기해야 하는 어렵고 중요한 개념이다.

나는 꽃과 나무를 보며 인생을 배우고 육아를 배운다. 꽃이 피고 지는 것을 보며 삶을 이해하고 아이들을 다시 바라본다.

자연스럽다는 것은 자연의 섭리대로 살아간다는 것이리라. 자연을 통해 배우고 성찰하며 자연스럽게 나이 들어가기 위해 나는 감각하고 사색한다.

# 진정한 사랑은 기다림

봄이 왔다.
이날을 얼마나 기다렸던가..

동네 친한 동생과 몇 주 전부터 약속하고 양재 꽃시장에 다녀왔다. 과천도 가고 강남 고속버스터미널의 꽃도매시장은 자주 다녔지만 양재는 처음이다. 기다리는 내내 얼마나 설레었는지 모른다.

예쁜 나무가 너무 많았지만 다 데려올 수 없어서 내 맘을 심하게 흔드는 아이들 위주로 골라 왔다. 새로 온 아이들 자리를 잡아주려고 베란다를 열었더니 이미 봄이 왔다고 소철쭉이 꽃을 한 아름 피워냈다.

몇 해 전에 꽃 수업을 들을 때 만들었던 작은 화분이다. 가끔 물을 주는 것 외엔 특별히 해준 것도 없는데 해마다 봄이 되면 이렇게 화사하게 미소를 지어준다.

새로 온 아이들을 기죽이듯이 올해는 더더욱 활짝 피었다. 새로 데려온 아이들을 분갈이 없이 알맞은 화분에 얹어주고 자리를 잡았다. 꽃시장 사장님이 꽃을 조금 오래 본다는 느낌으로 편하게 하라고 하셔서 분갈이의 부담감을 내려놓았다.

정리를 하고 보니 눈에 들어오는 아이가 있다. 지난 겨울 죽은 줄만 알았던 호접란을 실내에 들여주었더니 싹이 나고 꽃이 피었다. 봄이 되어 베란다로 옮겨두었는데 꽃대가 올라오면서 누워서 자란다.

난은 태생이 거꾸로 매달려 자라는 것이 많다고 꽃 수업에서 들은 적이 있다. 우리가 흔히 보는 난 화분은 반대방향으로 뒤집어 화분에 심고 지지대를 세워서 반듯이 자라도록 고정한 것인 셈이다.

나도 그런 난을 선물 받았고 한 대는 꼿꼿하게 지지

대에 의지해서 자라나 꽃을 피우고 있다. 지지대 없이 새로 자라난 꽃대는 본래대로 자라려는지 뉘어져서 줄기가 자라고 아래로 고개를 떨구며 꽃이 피었다. 다른 모습의 아이들이 왠지 눈에 거슬린다. 원래 그렇게 자라는 게 맞아 하며 두었는데 갑자기 세워주고 싶다.

지지대를 꽂고 고정끈으로 묶는다. 누워 자라고 있었기 때문에 세우는 것이 쉽지 않지만 살살 달래가며 세우려 애써본다.

그 순간,
대참사가 일어났다.
예쁘게 꽃이 달려있던 아이가 톡 하고 끊어진다.
내가 무슨 일을 한 것인가.
그러면서도 다른 하나를 또 시도해 본다.
이번에는 잘해보리라.
이번에도 톡!
……
되돌릴 수 없다.

혼자 튼튼하게 잘 키워낸 꽃대를 오로지 내가 보기 좋으려고 세우다가 돌이킬 수 없는 상황을 만들고 말았다. 너무너무 미안하고 너무너무 슬프다.
우리 아이들에게도 이렇게 하고 있지는 않았는지 생

각해 본다.

내가 생각하는 바른 모습, 멋진 모습으로 자라게 하려고 자신의 본성을 드러내지 못하게 처음부터 지지대에 꽁꽁 묶어서 키우려 했던 건 아닌가….

나의 훈육이 자신을 있는 그대로 사랑하고, 자신의 가치를 믿고, 더 나은 자기 모습을 만들어 가는데 방해요소가 되지는 않았는지 돌이켜 보게 된다.

식물을 키울 때는 볕이 좋은 곳에 옮겨주고 잎이 마르거나 겉흙이 마르면 물을 주고 환기를 시켜주어야 한다.

아이를 키울 때도 살아가는 데 기본이 되는 환경을 제공하는 것은 중요하다.

지나친 직사광선이나 과한 습도는 오히려 식물을 죽게 한다. 비바람을 피하고자 해충의 피해를 막기 위해 문을 꽁꽁 닫아 놓으면 바람이 통하지 않아 식물은 죽는다.

아이들에게도 지나친 관심과 배려는 독이 될 수 있다. 안전을 위해 부모가 나서서 위험 요소를 미리 막아주고 해결해 준다면 아이는 세상의 어려움을 스스로 헤쳐 나갈 힘을 얻지 못한다.

스스로 땅을 뚫고 새싹이 올라오도록 기다려야 하며 줄기를 단단하게 하고 잎을 만들고 꽃을 피울 때까지 기다려주는 것이 필요하다. 조바심 내고 자꾸 뭔가 더 해주려고 하다가는 꽃을 보기 어렵다.

꽃이 그러하다.
아이도 그러하다.

적당한 거리에서 지켜봐 주고 어려움을 경험하고 이겨낼 수 있도록 격려해 주어야 한다.

진정한 사랑은 기다림이다.

# 향기가 될 때까지

월요일 꽃시장에서 데려온 향 동백나무.

내가 알고 있는 내 고향 여수에 피는 빠알간 동백과는 다른 모양의 꽃을 피우는 향 동백나무. 작약처럼 화사하게 피어난 꽃에 반해서 시장에 들어서자마자 선택한 나무. 행여 옮기다가 꽃봉오리가 떨어질까 품에 안겨 조수석에 탑승한 아이.

매일 들여다본다.

추울까 봐 밤엔 문을 닫아주고 해가 나면 시원한 바람과 따스한 햇살을 받을 수 있도록 창을 열어준다. 물이 부족하진 않은지 흙을 확인한다. 아무도 눈치채지 못할 만큼 조금씩 꽃봉오리가 벌어진다.

봄이라 아침햇살이 따듯해 보인다. 창문을 열어주려고 베란다 문을 열었다. 꽃향기가 온 베란다에 그득하다. 그 순간 나의 눈에 들어온 놀라운 광경. 자그마한 꽃봉오리일 때는 전혀 상상하지 못했다. 이렇게 활짝 피어서야 진한 향기를 뿜어낸다.

너무나 황홀하고 행복한 순간이다.

꽃이 피어 향기가 나기까지 맺혀 있던 꽃봉오리가 더없이 소중하게 느껴진다. 꽃이 활짝 피어 향기가 나기 전에도, 꽃봉오리가 맺히기 전에도, 이 나무는 향 동백나무였다.

아이야
너는 존재 자체로 이미 귀한 존재란다.
어떤 결과로 너의 가치가 평가될 수는 없어. 네가 존재함으로 그 어떤 것도 가능한 거란다. 자기 자신을 귀하게 여기고 자신만큼 타인도 귀하게 여길 줄 아는 그런 아이로 자라렴.
엄마도 그렇게 널 존중할게.
스스로 향기를 뿜는 그날이 올 거라 믿고 응원할게.
사랑해….

## 지는 모습도 아름다운 꽃처럼

봄이 되어 꽃나무를 들여다보니 참 다양한 모습으로 꽃을 피워낸다.

꽃을 피우는 모습은 참 신비롭다. 그 모습을 매 순간 놓치지 않으려고 매일 베란다에 나가본다. 꽃망울이 맺힐 때부터 꽃잎이 벌어지는 순간순간을 바라본다. 다음 날은 얼마나 더 활짝 폈는지 새로 올라온 꽃망울은 없는지 보는 내내 미소가 떠나질 않는다.

꽃이 지는 모습을 바라본 적이 있나 생각해 본다. 꽃이 질 때는 이미 떨어진 꽃잎을 발견하게 될 때가 많다. '꽃이 떨어지는 그 순간은 우리가 알 수 없기 때문인 건가' 하는 생각이 스친다. 우리의 생도 마감하는 그 순간은 누구도 알 수 없지 않은가.

꽃을 바라보니 우리의 삶과도 참 닮았다.

아이가 태어나면 하루하루가 다르게 변화하는 모습에 한시도 눈을 못 떼지 못한다. 매일 아이와 눈을 마주치고 사랑스럽게 바라본다. 너무 예뻐서 어느 한 부분이라도 놓칠세라 사진을 찍고 영상에 담아 둔다.

어느 정도 자라면 처음만큼 매 순간 담아내지는 못한다. 스스로 잘 자라주기를 간절히 바라며 최소한의 터치와 적당한 거리를 유지한다. 어릴 때만큼 모든 순간을 지켜봐 주지 않는다.

부모의 마음이 시들해져서가 아니다. 아이도 독립된 인간으로 자라기 위한 과정을 겪게 된다. 건강한 독립을 응원하며 부모는 그저 멀리서 바라보고 가끔 필요한 것은 없는지 들여다봐 준다.

꽃잎이 지고 난 모습을 본 적이 있는가. 꽃은 피는 모습만큼이나 다양한 모습으로 진다.

튤립을 화병에 꽂아두었는데 어느 날 돌아보니 꽃잎을 깔끔하게 다 떨구었다. 떨어진 꽃잎의 모습이 너무 아름다워 사진에 담았다.

벚꽃이 만개하면 집 앞 벚꽃길에는 사람들로 북적인다. 벚꽃이 떨어지는 모습은 사람들을 행복하게 한다.

어떤 꽃은 겉모습은 분명 멀쩡한데 속이 이미 썩은 상태인 것도 있다. 꽃이 지고 나면 꽃 색이 변하고 악취를 풍기기도 한다.

아름다웠기에 견뎌내고 다음 꽃이 피기를 기다린다. 꽃이 지지 않는다면 이만큼 아름답게 느낄 수 있을까?

이번 봄에 설화라는 꽃나무를 들여왔다. 다른 손님이 보고 있던 것이었는데 보자마자 반했다. 그 손님도 이미 가지고 있다고 적극 추천이라고 하시며 양보해 주셨다. 이 꽃은 지는 모습도 예쁘다는 말을 남기고 자리를 떠나셨다. 그때는 그 말이 무슨 말인지 감이 오지 않았다.

꽃이 핀 모습이 너무 우아해서 사진을 얼마나 찍었는지 모른다. 한 송이 한 송이 꽃이 시들어 갔다. 사실

시들어 간다는 말은 어울리지 않는다. 그대로 건조되는 느낌이다. 박제해 둔 느낌이다.

꽃이 지는 모습도 아름답다는 그 말의 뜻을 알 것 같다.


삶에서 가장 아름다운 순간, 삶의 절정인 순간이 올 것이다. 나이가 들어가면서 우리는 어떠한 모습으로 내 삶의 꽃을 지울 것인가.

빛은 잃었으나 아름다운 자태를 그대로 유지하는 설화의 꽃처럼 나다움을 잃지 않고 나이 들어가기를 바란다.

그 모습이 결코 추하거나 외면하고 싶은 모습이 아닌 아름다운 모습이길 바라본다.

벚꽃처럼 꽃잎을 떨구는 순간에도 많은 사람에게 행복감을 주는 모습도 좋을 것이다.


나의 지는 모습을 생각하며 어떤 꽃을 피워내야 할지 생각해 보게 된다. 오늘도 나는 나다운 건강한 꽃을 피우기 위해 하루하루를 감각한다.

## 너에게 반했어


병원에 가는 길에 만난 찔레꽃 덕에 걷는 내내 기분이 좋다. 너무 예뻐서 몇 번을 멈추어 선다. 항상 그 자리에 있었을 찔레꽃이지만 가까이 다가가서 향기를 느끼고 생김을 더 자세히 들여다보니 그 매력에 빠지지 않을 수 없다. "자세히 보아야 예쁘다 오래 보아야 사랑스럽다." 나태주 시인의 글이 떠오른다.

겉이 화려하여 눈에 띄는 것들이야 굳이 들여다보지 않아도 그 가치를 가늠할 수 있다. 수수하고 자연스러

워서 혹은 작아서 눈에 띄지 않는 것들은 조금 더 가까이 다가가 보아야 그 가치를 알아봐 줄 수 있다. 특히 사람은 더 그렇지 않을까.

사건·사고가 많은 요즘 마음이 위태로운 아이들이 갑자기 떠오른다. 대중이 좋아하는 모습을 만들기 위해 우리는 매일 노력하고 있다. 다른 사람과 같아지기 위해 매일 거울을 들여다본다. 누군가 알아주지 않아도 나라는 존재는 소중하고 의미 있다는 것을 우리 아이들에게 어떻게 느끼게 해줄 수 있을까?

우리 어른들의 시선이 따듯해야 할 것이다. 아이들을 바라보는 시선에 편견이 사라져야 할 것이다. 잘못된 일은 바로잡아 주고 잘한 일은 칭찬해 주고 하는 일과 상관없이 존재함에 감사하고 사랑받을 수 있음을 알게 해주어야 할 것이다.

존재 그 자체로도 가치 있는 삶임을 느낄 수 있는 따듯한 세상이 되기를 바란다.

# 내 안의 꽃송이

베란다를 들여다보니 동백꽃이 떨어져 있다. 나무에 달려 시든 꽃도 있는데 예쁘고 싱싱한 꽃이 떨어졌다. 누가 내려놓기라도 한 것처럼 얌전하게 내려앉아 있다. 샴쌍둥이처럼 붙어있던 꽃이었는데 떨구고 나니 왠지 남겨진 아이가 좀 쓸쓸해 보인다.

활짝 피고나면 이제 곧 질 것을 알아야 한다.

새로 돋아나는 꽃망울 끝이 붉어지기 시작했다. 꽃망

울이 생겨나서 커지고 꽃을 한 잎 한 잎 피워내는 시간이 활짝 펴 있는 시간보다 더디고 오래 걸리지만 그 시간이 없이는 꽃은 피지 않는다.

꽃이 피어야만 눈에 띄고 그 아름다움을 알아주게 된다. 아름다운 자태를 맘껏 뽐낸 후엔 또 다른 꽃이 자랄 자리를 내어주고 이내 꽃을 떨군다.

나무는 떨군 꽃 한 송이만 가지고 있지 않다. 아직 피우지 않은 많은 꽃망울을 가지고 있다. 이제 막 돋아나는 새싹을 틔워내고 새로운 모양과 향기를 가진 또 다른 꽃을 피워낼 것이다.

이미 피운 꽃이 지더라도 걱정할 필요는 없다. 내 안에는 피워낼 다른 꽃망울들이 자라나 있으니.
아직 꽃망울을 발견하지 못했다면 싹을 틔우면 된다. 내 안에는 무궁무진한 싹이 잠재되어 있으니.

필요한 건 나 자신이 그런 존재라는 걸 믿는 것이다.

누구에게나 자신만의 싹이 존재한다.
그 싹을 발견하기 위해서 건강하게 살아가야 한다.

그리고 감각하며 살아가야 한다.

　나다움을 발견하기 위해.
　나다운 나로 살기 위해.
　나만의 싹을 틔워내기 위해.
　나만의 꽃을 피우고
　나만의 향기를 뿜어내기 위해.

# 제2화  나를 찾는 시간

돌이켜 생각해 보면 나의 새로운 공부는 큰아이를 임신했을 때부터였던 것 같다. 태교에 좋을 것 같기도 하고 어릴 때 배우지 못한 피아노를 배워보고 싶어서 커즈와일 신디사이저를 구매하고 동네 피아노 학원에 다녔다. 몇 개월 다니고 출산해야 해서 그만두었지만, 하고 싶은 것을 시작했다는 성취감에 행복했던 기억이 난다.

아이들에게 자기 주도력을 키워주고 싶어서 학원보다는 집에서 공부할 수 있는 환경을 마련해 주려고 했다. 나름 애를 썼지만 홈스쿨링이라는 것은 아무나 하는 것이 아니라는 것을 뒤늦게 알게 되었다.

나도 엄마가 처음이라 모든 선택이 어려웠다. 나의 판단으로 아이의 많은 것들이 형성된다는 것을 알기에 나의 능력을 키워야 한다고 생각했다.

지금 생각해 보면 전문가에게 맡겨야 하는 일을 내가 다 해주려고 했던 것 같다. 하지만 후회는 하지 않기로 했다. 어떤 일이든 장점과 단점은 존재하니까.

다양한 교육을 접하고 독서를 통해, 모임을 통해 새로운 지식을 얻고, 직·간접적인 경험을 하게 되었다.

그 과정에서 나에게 우선으로 필요한 것은 나 자신을 아는 것이라는 깨달음이 있었다. 나의 시선이 나의 내면을 향하고 나의 진정한 욕구를 알게 되는 일은 쉽지만은 않은 일이다.

**나와 만나고 나를 이해하기 시작하면서 나는 타인을 이해하는 것이 더 쉬워졌고, 내 삶의 방향을 찾아가는 것이 조금은 선명해지기 시작했다.**

지금도 여전히 내가 하고자 하는 일이 무엇인지 정확히 알 수는 없다. 분명한 것은 계속 부딪혀보고 경험해보아야 한다는 것이다. 그러기 위해서는 용기가 필요하다. 퍽 하고 실천해 볼 용기, 실패할 용기. 아직 그 경지에 다다르지는 못했지만 꾸준히 도전해 볼 것이다. 나만의 속도로 나다운 모습으로 자연스럽게.

## 향유하는 일상

강의를 듣고 돌아오는 길에 버스를 타는 곳도 잘 모르겠고 해서 그냥 걷기 시작했다. 갑자기 추워진 날씨에 비해 옷이 얇았지만 걷다 보니 견딜만했다.

도로의 소음을 피하려고 이어폰을 끼고 좋아하는 가수의 노래를 듣기 시작했다. 감미로운 목소리와 황홀한 연주 그의 독특한 시도가 만들어 낸 멋진 사운드가 나의 한 시간을 행복한 시간으로 만들어 주었다.

매일 지나가던 그 길이 노란 은행잎으로 물들어 있었

고 차가운 바람이 떨어진 낙엽들을 일으켜 세웠다. 건물 사이로 비추는 따스한 햇살에 잠시 멈추어 눈을 감는다. 얼굴을 지나서 온몸에 따뜻한 기운이 맴돌고 감미로운 음악과 함께 시공간을 초월하는 감각을 느꼈다.

내가 좋아하는 것이 이런 것이었음을 잊고 있었던 건 아닐까. 더 근사하게 느끼고 싶어서 시간을 내어 멋진 곳에 가려고만 했던 건 아닌가. 타인을 통해 그런 기회를 얻으려 했던 것은 아닌가 생각해 보게 된다.

남편과 아이들에게 내가 좋아하는 것들을 함께하자고 제안하고 그것이 받아들여지지 않으면 나는 이내 포기하고 만다. 그래서 내가 좋아하는 곳에 가지 못하고 좋아하는 일을 하지 못하는 것도 그들 때문이라고 생각했었다.

아무도 나에게 하지 말라고 한 적은 없다. 내가 좋아하는 것을 그들이 해야만 하는 것도 아니다.

가족이기에 나는 모두 함께 하기를 바랐던 것이다.

그것 또한 나의 바람이었다. 나의 욕구였다. 타인의 욕구와 나의 욕구를 구별해 보면 한결 마음이 가벼워진다.

김교수의 세가지에서 매일 나를 사랑하는 한 가지를 계획하고 향유하는 일상을 살아가라는 교수님의 메시지가 나를 온종일 행복하게 만들었다.

행하지 않는 것은 진정한 앎이 아니라고 했던가. 매 순간을 감각하고, 매일을 향유하며 살아가도록 계획하고 실천에 옮기자.

나는 자연의 아름다움을 누구보다 민감하게 느낄 수 있고 소소한 일상에서 행복을 찾을 수 있는 사람이다.

모든 것은 그대로 존재하고 있지만 그것을 알아차리고 감각하는 것은 바로 나 자신이다.

# 인생의 중요한 선택

인생의 중요한 선택의 순간에 우리는 가장 미숙한 시기였다.

나의 첫 직장은 종합학원 수학 강사였다. 친구 소개로 하게 된 수학학원 아르바이트 자리로 시작된 일이 나의 첫 직장이 되어버렸다.

환경학을 전공했지만 한 번 발들인 직업을 바꾼다는 것은 쉬운 일이 아니었다.

그때 조금만 더 깊이 생각하고 용기를 내었다면 지금의 나는 다른 위치에 있을 수 있지 않을까 하는 생각을 해 볼 때가 있다.

젊은 시절 우리는 직장, 결혼 등 우리 삶에 큰 영향을 미치는 중요한 선택을 한다. 모든 것이 미숙한 시기였기에 내게 꼭 맞는 혹은 나의 꿈과 관련된 선택을 한다는 것은 쉽지 않다. 특히나 주입식 교육을 받은 우리 세대에는 더욱 그랬다. 교육의 방식이 조금 바뀌긴 했으나 지금 세대의 아이들 또한 다르지는 않을 것이다.

완벽하게 준비된 순간이란 게 있기는 한 걸까? 어떤 선택이라도 부딪혀보면 생각한 것과 다른 경우가 많다. 성공과 실패를 거듭하면서 형성된 나의 습관, 나의 가치관, 나의 위치, 나의 모습이 현재 나의 삶을 이루고 있다.

선택은 매 순간 나의 욕망으로 이루어진다. 그렇다면 그 욕망이 진정 내가 원하는 것인지, 내가 선택 할 수 없는 환경 즉, 부모나 자라온 환경에 의해 만들어진 페르소나적 욕구는 아닌지 들여다볼 필요가 있다.
나도 모르게 만들어진 왜곡된 욕망 때문에 진정 내가 원하는 것들은 억눌린 채 살아가고 있는지도 모른다.

익숙해서 하는 일, 내 엄마가 잘하던 일이었고 옳다고 생각하고 살아왔던 일들, 나이가 들어가면서 나는 그런 일들이 내가 즐거워하고 좋아하는 일의 전부가 아니라는 것을 느끼기 시작했다.

맛있는 음식을 해서 가족들과 먹고 집과 아이들, 남편만 바라보고 사는 삶, 어릴 적 꿈을 물어보면 현모양처라고 답했던 기억이 난다. 그런 엄마가 좋았고, 나는 엄마를 가장 존경한다. 나의 멘토를 물으면 엄마가 1번이다. 그런데 그런 동경이 나에게 페르소나적 삶을 살게 했다는 것을 최근에 깨달았다.

어릴 때는 다른 생각을 할 겨를이 없었다. 본업에 충실한 그 모습이 바로 내가 지향하는 삶이었기 때문이다. 자리에 맞는 사람이 되어야 한다고 아이들에게도 강조한다.

시간이 갈수록 뭔가 채워지지 않는 갈증이 있었다. 느지막이 나는 이것저것 배우기 시작했고 배워도 배워도 끝이 없었다. 배우고 싶은 것들이 넘쳐났다. 그런데 배우다 보니 그저 배우기만 해서는 채워지지 않는다는 것을 알 수 있었다.

왜 배우는 것인지, 어디로 가려는 것인지 알지 못하고 그저 배우기만 하면 결국 아무것도 배우지 못한다. 다 흩어져 버린다.

성찰을 통해 나를 바라보아야 한다. 내가 가고 싶은 방향을 찾아가야 한다.

김익한 교수님은 이것을 "삶의 방향을 조타(steering)" 한다고 표현하셨다.

조금은 느린 속도로 매 순간을 감각하며 나의 상태를 자각하여야 한다. 동시에 변화와 성장을 위한 실천을 하고 나의 변화와 성장을 감각해야 한다. 미숙한 선택을 성숙한 선택으로 바꿔 가도록 해야 한다.

이것은 어떤 노력으로 가능할까?

매달 한 달 계획을 하면서 '인생 지도 그리기'를 한다. 한 달에 한 번 영역별(일, 관계, 휴식, 자기 계발, 가족 등)로 현재의 나를 성찰 해 본다.

영역별 현재 하고 있는 것, 그리고 지향하는 의미가 무엇인지 추상적 개념도 적어 본다. 그것이 자신의 본래 욕망과 맞는지도 점검해 본다.

왜곡된 욕망은 무엇인지, 숨겨진 욕망은 무엇인지 생각해 보면 줄여야 할 것과 덧대어야 할 것이 어떤 것인지도 알게 된다.

오늘의 성찰이 정답은 아닐 것이다. 꾸준히 이 과정을 거친다면 내가 살고자 하는 방향으로 내 삶을 조타를 할 수 있을 것이다.

방향 없이 살아가는 삶은 얼마나 막막하고 힘겨울 것인가. 생각만 해도 아찔하다.

　내 삶의 선장이 방향을 모르면 결국 타인에 의해 좌지우지되는 삶을 살아야 할 수도 있다.

　사람들은 나에게 공부는 그만하고 세상 밖으로 나오라고 하기도 하고, 좀 더 빠르게 뭔가를 하기를 바라거나 어딘가로 함께 가기를 바란다.

　그 선택은 누가 할 것인가? 나를 가장 잘 아는 사람은 바로 나이다. 가장 깊숙이 들여다볼 수 있는 사람도 나다. 남들이 보기엔 충분하거나 부족하다고 느낄 수 있다. 너무 느려 보일 수 있다. 그 속도도 방향도 내가 선택해야 하는 것이다.

　나의 모든 감각세포가 느끼고 말해주는 것에 귀를 기울이고 감각하고 기록하자. 오늘도 나는 나를 찾기 위해 감각한다.

# 의미 부여와 위치 지움

나의 삶 전체에 지금 나의 행동이 어디즈음 위치하고 있는가, 그 의미는 어디즈음에 위치하는가.

아침에 일어나 이룸 모닝 루틴을 하는 행위는 나의 삶 전체에 어디쯤 해당할까?

어떤 의미를 갖는 것인가 그 의미가 내 삶의 어느 위치에 있는 것인지 생각해 보자

이 시간에 간단한 요가체조와 바디스캐닝 명상을 한다. 항상 하고 싶었던 것을 실행하게 한다.

하루를 구상하고 눈 운동 독서를 시작으로 독서하는 시간이다. 매일 독서를 하겠다고 결심하지만 그렇지 못

한 날이 더 많다. 이 시간 만이라도 실행하는 나를 쌓아가고 싶었다. 김 교수의 5분 강의는 나를 사유하게 하고 성찰하게 하는 시간이다. 내 삶의 방향을 찾아가는 데 도움이 되는 이 시간이 내게는 참 의미 있는 시간이다. 이렇게 적어 보니 더 선명해진다.

매일 저녁 의미를 상기하고 이 아침을 기대하면서 잤다면 다시 이불 속으로 들어가는 선택을 하지 않았을 것이다. 피곤하면 하지 않을 수도 있는 거라는 내면의 안일한 생각이 나를 자는 쪽으로 선택하게 한 것이다.

피곤하면 자는 것 또한 나의 선택이다. 이 행동이 나의 삶에서 몸을 건강하게 하고 보호하는 역할이 될 것이라는 의미가 부여된 행동이라면 그 또한 의미가 있다.

매 순간 사유하고 위치 지움 하고 의미를 부여하고 의지적 선택을 하는 것이 중요하다.

나의 오래된 습관에 의한 행동을 바꾸는 것은 쉽지 않다. 재창조의 고통을 견뎌야 한다. 그것을 하게 하는 힘은 무엇일까?

바로 의미 부여이다.

현재 나의 행동이 나의 삶 전체 어디즈음에 해당하는지 떠올려보고 의미를 부여하면 나의 목적도 분명해진다. 거기서 오는 기쁨은 배가 된다.

의미를 선택하면 내가 강점을 둘 곳이 선명해진다. 나의 행동 선택은 바로 나의 의미 선택에서부터 출발되어야 선명해진다.

매 순간 어떻게 그렇게 사느냐고 생각할 수 있다. 처음은 다 어렵다. 나 또한 아직 그렇게 하지는 못한다. 이것이 습관이 되어 내 몸에 착 붙는다면 그것은 애씀이 아닌 그저 내가 되는 것이다.

지금, 이 순간 내가 글을 쓰면서 사유하고 성찰하는 이 순간이 나에게 어떤 의미가 있는지 떠올려본다.

나는 정돈 되지 않은 생각들로 나의 행동으로 혼란을 겪을 때가 있다. 열심히 공부하고 있지만 방향을 잃고 여러 가지를 시작하고 다시 하기를 반복하고 있었다. 내가 공부하는 것에 대한 의미 부여가 부족했기 때문인 것을 느끼게 된다.

내 느낌대로 내가 좋아하는 분야 관심 가는 분야를 선택하고, 공부하는 것 자체에 의미를 두고 시작한다. 어느 순간에는 버거워지고 흐지부지되는 분야가 생기면 나를 자책하게 된다. 공부할 분야를 선택하기 전에 이러한 과정을 거쳤어야 했다.

그 분야가 나의 꿈을 찾아가고 실현해 가는 부분에서 어느 위치에 있는 것인지 먼저 할 것인지 다음에 할 것인지, 지금 하는 모든 것들을 펼쳐놓고 지금 특히 집중해야 하는 일은 무엇이고, 이 일을 시작했을 때 지금 하는 공부나 일에 방해가 될 것인지 도움이 될 것인지 생각해야 한다.

물론 전혀 생각하지 않고 선택하는 것은 아니다. 지금이 아니면 할 수 없을 것 같은 좋은 기회들도 있다. 하지만 정말 전체를 바라보고 그 속에 그 선택이 갖는 위치를 생각하지는 못했다.

선택에 있어서는 더 많은 시간을 들여서 깊고 넓게 사유했어야 한다. 목적이 분명해지고 가치와 의미가 분명한 일이라서 선택한 것이라면 그 과정 또한 행복한 여정이 될 것이고 중도 포기란 없을 것이다.
순간순간 그 일이 내게 주는 기쁨으로 더 속도가 붙었을 것이다.

아이들에게도 접목해 보게 된다.
공부해야 한다. 지금은 공부하는 시기야 하고 말한다

고 스스로 공부하게 되겠는가.

지금 이 시기의 공부가 아이 삶 전체에 초석이 되는 시간이라는 위치 지움.

단순히 지식을 배우는 것이 아닌 공부하는 자세와 사회생활을 하는 기초적인 예의와 상식을 배우는 것이라는 의미 부여.

이러한 대화 없이 아이에게 그저 주어진 것을 해야만 한다고 말하는 것은 분명 한계에 부딪히게 된다.

습관이 되도록 어려서부터 당연히 하는 공부로 자리 잡으면 좋겠지만 나의 아들들은 그렇게 키워 오지 않았다. 나는 자기 주도적인 아이로 키우는 것이 목표였기 때문에 스스로 해낼 때까지 엄마가 도와야 한다고 생각했다. 학원에 다니지는 않았지만, 엄마 주도적인 양 육방 식었다는 것을 인정한다.

이제 아이와 해야 할 대화는 오늘 플래너 썼니? 너 할 일 다 했니? 가 아닌 지금에 이 행위가 아이의 삶에 줄 영향과 위치를 느낄 수 있도록 대화하는 것, 의미 부여해 주는 것이 중요함을 기억할 것이다.

오늘은 아이에게 다정하게 다가가 이야기를 건네야 하겠다. 아들아, 플래너를 쓰는 것은 꿈을 이루는 시작점이야. 자신이 길잡이가 되어 나다운 삶을 살아갈 수 있도록 만드는 중요한 시간이고 의미 있는 시간이 될 거야. 하루하루를 멋지게 설계해 보자.

지금은 하루 중 어디쯤 와 있는지도 이야기 나눠보고 공부가 주는 의미도 다시 한번 이야기 나눠보아야겠다. 자신의 마음에 지금의 공부가 의미 부여되고 가치가 있는 그 순간 엄마의 잔소리는 필요 없는 아이가 되지 않을까 생각해 본다.

이런 말들을 잘 전달하기 위해 말 공부가 필요함을 느낀다. 아직은 엄마의 말을 잘 들어주는 아이들이지만 이런 지루한 이야기를 계속 듣고 있을 중, 고등학생은 별로 없을 것이므로. 그래도 이 엄마는 꾸준히 할 것이다. 이런 말도 들어 주는 엄마와 아들의 관계를 유지할 수 있도록 꾸준히 들이댈 것이다.
건강한 육아 독립을 위해.

# 제3화   나를 성장시키는 품성

나를 성장 시키는 공부 중 나에게도 타인에게도 중요한 품성 공부가 있다. 살아가면서 자신만의 가치를 바로 세우는 것은 아주 중요하다.

희망도서관에서 주최하는 품성 독서 경영 전문가 과정을 이수하였다. 12가지 기본 품성의 기본개념과 가치를 익히고 독서를 통해 품성에 대한 이해의 깊이와 폭을 넓힐 수 있었다.

많은 사람에게 품성의 가치를 알리기 위해 기자단을 모집하여 매달 한가지 품성에 관한 웹매거진을 발행하고 있다. 내가 이 기자단에 소속되어 있는 것은 글을 잘 써서가 아니다. 이 모임을 통해 품성에 대한 개념과 가치를 함께 공부하고 글쓰기 능력을 기를 수 있도록 도움을 받고 있다. 내가 받은 도움을 또 다른 많은 사람에게 나눌 수 있는 기회가 생기는 것이다. 이타적 자기 계발이라는 말이 딱 어울리는 모임이다.

그동안 내가 쓴 글 중 품성에 관한 글을 몇 가지 소개한다.

# 경 청

대화 도중 다른 생각이 떠오를 때가 있다. 그러다 보면 상대의 말을 놓치는 경우가 생긴다.

이런 현상은 상대의 말을 그대로 수용하려는 자세보다는 내가 판단하고 내 생각을 개입시킬 때 나타난다.

물론 상대의 말을 비판 없이 무조건 수용할 순 없는 일이다. 다만 말을 듣는 그 순간만큼은 내 생각이나 판단보다는 상대가 하고자 하는 말을 가감 없이 끝까지 들으려는 태도가 필요하다고 생각된다.

나이 예순을 '귀가 순해진다'라는 뜻으로 '이순(耳

順)'이라고 한다. 남의 말을 들으면 그 이치를 깨닫고 미묘한 점까지도 알게 되는 나이가 되었다는 말이다. 이 말의 의미를 나는 이렇게 풀이해 보았다.

자극과 반응 사이의 공간이 넓어진다.

젊은 나이에는 상대의 말을 들으면 들리는 대로 상대에 대해 즉각적인 판단이나 반응을 하게 된다. 나이가 들어가면서 많은 경험을 통해 상대가 하는 말이 어떤 때는 그 말과는 전혀 다른 의미를 내포하고 있을 때도 있음을 알게 된다.

나이가 들어도 듣는 즉시 알아차리기는 어렵다. 다만 상대의 말을 경청하고 그 말에 대해 나의 경험과 상대의 상황 등을 고려하여 생각해 볼 수 있는 여유가 있는 것이다. 경험이 많을수록 상대를 이해하는 폭은 넓어진다. 그 말에 대한 반응은 그리 빠를 필요도 그리 대단할 필요도 없음도 느낄 것이다. 그저 들어주기만 해도 해결되는 일이 많다는 것도 알게 된다.

나는 잘 듣는 사람이기도 하고 아니기도 하다.
내 주변에는 고민이 생기거나 사람과의 관계가 힘들거나 하면 나에게 연락하는 사람들이 많다.
난 그들의 고민을 들어주고 지금 갇혀 있는 부정적인 생각 혹은 불안한 감정에서 벗어날 수 있도록 돕는

다. 긍정적인 사고로 전환할 수 있도록 새로운 관점과 다양한 시각에서 현상을 바라볼 수 있는 대화를 시도한다. 그러면 그들도 그 이야기를 경청해 주고 마음의 위안을 얻기도 한다.

그런데 간혹 상대의 말에 의견이 생기면 중간에 끼어들게 되는 경우가 있다. 그렇게 되면 상대방의 이야기를 다 들을 수가 없다.

특히 가족들의 이야기를 들을 때 더 그런 것 같다. 아이들이 이야기를 시작했을 때 뭔가 잘못되었다 싶으면 벌써 말을 끊고 조언이나 충고부터 한다. 아이는 하고 싶은 말을 다 하지 못하고 그냥 멈추어 버릴 때가 있다.

잘 듣는 건 너무나 중요하다. 소통의 기본이며 좋은 관계의 핵심 요소이다. 가족과의 관계뿐 아니라 사람들과의 관계를 잘 유지하기 위해서는 잘 듣는 사람이 되어야 한다.

잘 듣는 사람이 되기 위해서는 상대의 말이 끝날 때까지 하고 싶은 말이 있어도 꾹 참고 기다려야 한다. 대화 도중 생각나는 것을 적어 보는 것도 도움이 될 것이다. 그 순간이 지나가면 잊어버릴까 봐 조급한 마음이 드는 것을 방지할 수 있다.

잘 들으려면 잘 관찰해야 한다. 겉으로 보이는 것 너머의 본질을 볼 수 있도록 잘 듣고 잘 보아야 한다. 말 자체의 의미보다 목소리 톤이나 기분 등을 함께 고려하여 듣다 보면 마음까지 들을 수 있다.

경청을 잘 하면 상대를 잘 이해할 수 있고 이해가 되면 쉽게 용서할 수 있다.

경청은 인간관계의 기본 품성인 존중에 큰 가치 중 하나이다.

경청을 잘 하면 세상은 나에게 더 많은 이야기를 들려준다.

# 순 종

부모라면 누구나 아이가 순종적이길 바랄 것이다.

우리 어릴 때는 집에서는 부모님께, 학교에서는 선생님께, 사회에서는 어른들이나 상사의 말에 순종하는 것이 당연한 분위기였다. 물론 모두 순종했다는 뜻은 아니다. 적어도 순종하지 않는 아이들이 문제시되는 분위기였다.

그런데 요즘 아이들은 어떠한가? 부모나 어른에게 순종하기는커녕 자신들의 의견을 따라주기를 바란다.

부모의 모습은 어떠한가? 아이들의 감정을 살피느라

바쁘고 아이에게 더 좋은 부모가 되어 주려고 애를 쓴다.

오히려 부모가 아이에게 순종하고 있는 느낌이다.

순종이라는 단어가 주는 거부감이 있다.
묻고 따지지도 말고 따르라는 건가? 하는 생각이 들어서이다. 순종은 단순히 누군가의 말을 잘 따르는 것만을 의미할까?

순종한다는 것은 어떠한 상황에 순응한다는 의미와도 일맥상통한다.
어려운 상황이 생겼을 때나 낯선 환경에 노출되었을 때 그 상황을 견뎌내고 해결하려고 노력하고 끝까지 버텨 내는 것이 바로 순종의 힘이라고 생각한다.
이런 의미에서 순종은 분명 우리가 살아가는 데 중요한 품성이다.
무엇보다 배움에 있어서 가장 기본이 되는 품성이다.
그렇다면 우리는 다른 어떤 것 보다 순종을 할 수 있는 아이로 키워내야 하는 게 분명하다.

이런 의문이 생긴다.
왜 순종하기가 어려워진 것일까?
어떤 것이 순종하는 것을 방해 하게 된 것일까?

순종하게 하려면 어떻게 해야 하는 것일까?

훈육의 측면에서 살펴보았다.

요즘 육아는 아이들의 마음에 공감해 주는 공감 육아, 감정 육아라는 말을 많이 쓴다. 아이가 잘못했을 때도 그 마음만은 먼저 공감해 주라는 것이다.

문제는 공감 이후 아이에게 올바른 행동이 어떤 것인지 가르치지 않고 끝난다는 것이다. 공감만 해주면 아이가 스스로 잘못을 깨우칠 수 있을지 의문이다. 바른 행동 표현을 배울 기회를 얻기보다는 자기 행동에 큰 문제를 느끼지 못하고 오히려 정당하다고 생각할지도 모르겠다.

아주대 정신건강의학과 조선미 교수님에 따르면 훈육에 있어서 지시할 상황에서 설명이나 설득은 하지 않아야 한다는 것이다.

지시의 상황에서는 명확하게 아이가 그 방향으로 갈 수 있도록 효과적인 지시의 말을 해야 한다.

꼭 해야 하는 일에 왜 그렇게 해야 하는지, 그렇게 하는데 어떤 점에서 좋은지 아이에게 설득할 필요가 없다는 뜻이다. 이것은 어려서부터 훈련되어야 한다. 당연하게 해야 하는 일을 가르치는 과정에서 요즘 부모들은 너무 힘을 뺀다. 나 역시 그랬고, 진행형이다. 매일 하는 생활 습관 하나도 아이의 투정에 심각하게 반응하고 작은 성과에도 지나치게 과장하여 칭찬한다.

안타까운 것은 아이를 너무 잘 키우고 싶어서 하는 우리 부모들의 행동이 아이들이 평범하게 건강하게 살아가는데 오히려 방해가 되고 있다는 것이다.

예를 들면 이를 닦는 것, 식사할 때는 돌아다니지 않는 것 등 일상에서 당연하게 배워야 하는 일들을 일일이 설명할 필요는 없다. 매일 해야 한다고 지시하고 따르게 하다 보면 어느 순간 아이는 식탁에 앉아 밥을 먹고 양치하러 간다.

일관성 있고 반복되는 지시를 통해 아이들은 좋은 습관을 형성하고 그것이 바로 순종 하는 힘의 바탕이 된다.

아이의 양육은 과거 우리 부모님들이 집안일에 바깥일에 바빠서 아이들 스스로 사소한 문제들을 해결할 수밖에 없었던 그 시기로 돌아가야 할지도 모른다.

요즘 부모들은 아이가 더 재미있게 공부하고 힘들지 않게 공부하게 하려고 무척 애를 쓴다.

평생 해야 하는 공부를 재미있게 편하게만 한 아이

들이 그렇지 못한 상황이 오면 해야 할 이유도 가치도 느끼지 못한다.

부모가 교육에 있어 모든 것을 해줄 수 없기에 우리는 학교에 보낸다.

학교에 가서 자신과 친구들 간의 비교를 통해 좌절도 성취도 느껴야 사회에 나가서도 적응할 수 있다.

그런데 요즘은 아이에게 지나치게 공감하고 부모의 지나친 개입으로 그런 기회를 박탈당하고 있다.

어린 시절 크고 작은 어려움을 겪어내고 좌절과 성취를 경험하면서 한 단계씩 이 사회에 순응해 가고 순종 해가는 과정을 겪을 기회가 없는 것이다.

부모의 지나친 관심과 개입으로 가정에서도 학교에서도 자연스럽게 배울 수 있는 것들을 배우지 못한 채 사회로 나아가니 부모는 아이를 독립시키지 못하고 계속 책임져야 하는 상황이 되었다.

순종하게 하려면 기준을 명확히 세우고 해야 할 것과 하지 말아야 할 것을 정하여 따르게 해야 한다.

작은 그것부터 일관성 있게 반복해 주어야 한다.

부모와 아이와의 관계도 중요하다.

모르는 것을 알려주고, 부모가 직접 행하는 것을 보여주고, 스스로 할 수 있게 시켜주고, 잘못한 것은 고

쳐주기를 반복하여 잘 해낼 수 있을 때까지 집중해서 훈련해야 한다.

아이 양육의 끝이 어디인가?
공부를 잘해서 좋은 대학에 가는 것인가?

아이들이 부모의 손을 떠나 혼자 이 사회의 구성원으로 살아갈 때 우리 아이들이 어떤 모습이었으면 하는지 긴 안목으로 바라보자.

나의 육아 목표는 아이의 건강한 독립이다.
나는 행복한 육아 독립을 꿈꾼다.

나는 이 사회의 모든 아이들이 자신의 존재 자체로 소중함을 느낄 수 있기를 바란다.
자신의 삶을 가치 있게 느끼고, 배움에 있어 순종하고, 실패와 성취 또한 받아들일 줄 아는 용기 있는 사람이 되길 바란다.
사회공동체 안에서 조화롭게 살아가며 순간순간의 행복을 놓치지 않는 사람이길 희망한다.

# 나 눔

음식을 함께 나누어 먹는 것도 나눔이다.

인사를 주고받거나 이야기를 나누는 것도 나눔이다.
어려운 사람에게 물질적 도움을 주는 것도 나눔이다.
자신의 지식을 사람들의 성장을 위해 나누는 것은 더
큰 의미의 나눔이다.

'즐거움을 함께하면 배가되고 고통은 함께하면 반이
된다.' 너무나도 오래돼서 식상한 말이지만 진리이다.

지금의 시대는 함께 하기보다는 혼자 하기가 더 익

숙한 시대이다. 코로나로 인해 그 현상은 더 심화 되었다. 직장에 나가서 하던 일들을 집에서 각자 하는 것이 가능해졌고, 학생들도 온라인으로 각자의 집에서 공부할 수 있게 되었다.

마스크를 쓰는 기간이 길어지자, 사람들은 자기 모습을 드러내는 것이 어색하고 직접 만나서 대화하는 것을 힘들어하는 일도 생겨났다.

이러한 상황은 사람들을 흩어지게도 했지만, 더 광범위하게 모이게도 했다. 시·공간을 초월한 만남을 가능하게 하였다. 세계 각지에 있는 사람들과 소통할 수 있게 되었고, 대학의 논문, 강의도 자유롭게 접할 기회가 열리게 되었다. 지방에 있는 사람들도 서울 강남구 대치동의 수업을 들을 수 있게 되었다. 공간의 제약이 없으니, 단톡방은 1,500명까지 회원을 수용할 수 있게 되었다.

1인 기업이 많이 생겨나고 퍼스널 브랜딩이라는 말은 이제 우리에게 익숙한 단어가 되었다. 많은 사람에게 자신의 재능을 나누고 도움을 주는 일을 하면서 수익을 내는 사람들이 늘어나고 있다.

나눔을 하기 위한 움직임도 매우 광범위하고 다양해

졌다. 혼자 공부를 할 수 있도록 돕는 유튜브 강의가 넘쳐나고 직접 가서 도와주지는 못해도 기부를 통해서 도움을 주기도 한다.

인간의 욕구에는 표출하고자 하는 욕구와 소통하고자 하는 욕구가 존재한다. 이런 욕구가 반영되어 나를 잘 드러내고 타인과의 소통을 통해 나눔을 실천하는 멋진 분들이 많아지고 있다. 나눔을 통해 재능을 키우고 자신이 받은 것 이상으로 다른 사람들을 위해 나눔을 하고 함께 하기를 실천한다.

이 세상을 살아가는데 서로 의지가 되고 힘이 되는 사회가 되는데 이런 나눔이 얼마나 중요하고 의미 있는지 생각해 보게 된다.

토미 웅게러의 그림책[세 강도]에서 강도가 부적절한 방법으로 모은 재산을 불쌍한 사람들을 위해 나누고 쓴 부분을 어떻게 받아들여야 할 것인가? 강도질로 번 돈이니 좋은 일에 썼어도 강도들이 도움받은 사람들에게 칭송받을 수 없는 것일까? 강도는 처음부터 강도였을까? 하는 질문을 하게 된다.

고아인 아이를 만난 강도의 행동을 보면 강도는 비슷한 아픔이 있는 사람들일 수도 있다. 어느 누구도 어떻게 살아야 하는지 가르쳐 주지 않았기에 그들은 자신이 배워온 방법으로 할 줄 아는 방법대로 살아왔을 것이다.

티파니라는 작은 아이의 한마디

"이 돈을 어디에 쓸 거야?"

전혀 생각해 보지 못한 이 질문에 강도들은 자신들의 삶을 고민해 보는 계기가 되었다. 삶의 목표와 방향을 설정하고 변화하기 시작한 것이다.

어려움에 처한 많은 사람을 도와주고 도움을 받은 사람들은 서로를 의지하면 또 다른 사람들을 도우며 살아간다. 결국 그런 사람들이 모인 빠알간 마을이 형성되고 자신을 도와주고 삶을 변화하게 해준 세 강도에게 감사한 마음을 갖고 살아가게 된다.

세 강도의 삶은 시작은 불행했지만 작은 소녀 티파니를 만난 이후 너무나 값진 삶을 살게 되었다.

나눔은 만남을 통해서 이루어진다.

어떤 사람을 만나느냐에 따라 인생의 방향이 바뀔 수 있다.

어떤 질문을 만나느냐에 따라 미래도 바꿀 수 있다.

# 겸 손

**겸손의 가치 중 하나는 열린 마음이다.**

열린 마음은 상대에 대해 혹은 어떤 사건에 대해 긍정적인 마음으로 접근한다는 점에서 그 깊이와 넓이가 다르다. 열린 마음으로 접근하면 사고의 유연성을 갖게 된다.

최근 남편과 대화하면 답답함을 느낀다. 분명 같은 말을 하고 있는데 기준점이 달라서 부딪힌다. 나는 문제의 근원에 관해 이야기한다면 남편은 현상에 관해

이야기한다. 남편도 나에게 이상적인 말만 한다고 하며
답답해한다.

　겸손에 대한 가치를 떠올리면서 나는 남편을 겸손한
태도로 대했는지 생각해 보았다.
　남편과 전혀 다른 이야기를 하는 것은 아니다. 분명
목적하는 바는 같다. 그 현상을 바라보는 시각과 그것
에 대처하는 방법의 차이가 분쟁의 원인이 된다.

　예를 들어, 아이의 시험계획 세우기에 나는 조금 더
더디더라도 처음부터 스스로 해야 한다고 주장한다. 결국
은 아이가 자신의 일정을 더 잘 알기 때문이기도 했다.
남편은 처음부터 할 수 있는 아이들이 몇이나 있느냐
며 기본적인 틀을 엄마가 세워주고 아이랑 상의하라는
것이다.
　지금껏 자기 주도적으로 키운다고 학원도 안 보내고
시켰는데 결국은 엄마 주도적인 아이로 키워낸 것 같
아 마음이 불편했던 나는 그 말이 수용되지 않았다. 곁
에서 같이 도와주기는 하겠지만 자신이 해봐야 다음부
터는 스스로 할 것 아니냐는 게 내 주장이다.
　그러다 보니 진행이 더디긴 했다. 그걸 바라보는 아
빠는 답답하다. 결국 해주고 만다. 결과는 다시 아이랑
거의 다 수정해야 하는 상황이 되었다.
　결과적으로는 아이가 하는 게 맞는다는 나의 생각이

맞았지만, 남편의 의견대로 일단 시작하니 일의 진행은 더 빨랐다.

내가 처음부터 그의 말에 먼저 수긍해 주고 열린 마음으로 동조해 주었다면 그때도 나의 말에 반박하였을까?

나는 상대보다 내 말이 조금은 더 옳다고 생각하고 있었다. 겸손하지 못한 마음이 결국 대화의 어려움을 초래했다. 이런 일이 또 생긴다면 상대의 말에 일단 동조해 주고 나의 의견을 덧붙여 볼 것이다.

부부는 서로 다른 환경에서 자라난 두 사람이 만나 맺은 인연이다. 서로 다른 점을 인정하고 수용하는 것이 무엇보다 중요하다. 그런 점에서 겸손은 부부간에 좋은 관계를 유지하는 데에 꼭 필요한 품성이다.

**겸손의 또 다른 가치는 배움이다.**

배우는 사람은 다 겸손한가라는 의문이 든다.
배움의 목적은 배움을 통해 더 나은 방향으로 나아가기 위함이다.
배움에는 끝이 없다. 새로운 것들이 계속 생겨나고 세상의 수많은 사람은 누구도 같은 사람이 없다. 그만큼 알아야 할 것도 배울 것도 많다는 것이다.

배우는 것에 집중하면 나는 더 나은 사람이 되는 것일까? 이론으로 듣고 아는 것과 실행을 통해 알게 되는 것에는 큰 차이가 있다.

실천하지 않는 배움은 진정한 가치를 갖지 못한다. 인풋만 계속한다고 변화가 일어나지 않는다. 조금 더디더라도 실행하면서 깨닫고 느낀 바가 있어야 내 것이 된다. 내 안에 들어와 재생성 되는 것이다. 그것이 바로 진정한 배움이다.

요즈음 교육에도 이런 방법들이 적용되고 있다. 주입식 교육에서 벗어나 배운 지식을 실제로 적용할 수 있는 예를 찾고 자신의 생각으로 바꾸어 표현할 수 있도록 하고 있다. 정답이 없는 것이다. 주제에 맞는 이론과 경험을 살려 자신의 생각을 표현하는 것이 바로 답이다. 내가 배운 것이 전부가 아닐 수 있다는 겸손한 마음으로 실행하며 계속 발전해 나가는 것이 또 다른 겸손의 가치이다.

그런 면에서 나는 계속 배우기만 하는 건 아닌가 하는 생각이 들었다. 배운 것을 말로 나누는 것을 좋아하지만 실질적인 도움을 주는 모임을 만들거나 강의를 하지는 못하고 있다. 배움을 실천하는 부분이 부족한 것이다. 배운 것이 이론에서 끝나지 않도록 표출해 낼 기회를 만들어 봐야겠다.

실천은 겸손의 가치에 한 발짝 다가가는 순간이다.

**겸손한 품성을 기르기 위해서는 성장을 위한 성찰이 필요하다.**

연말에 가족이 모여 한 해를 돌아보고 새해 계획을 세운다. 매년 새해 목표에 변함없이 등장하는 목록이 있다. 독서, 영어, 건강을 위한 운동(다이어트), 가족여행. 물론 모두 중요하고 꼭 해야 하는 것들이긴 하다. 중요하다고 생각하면서 매년 성공하지 못하고 있다.

한 해에 한 가지만 계획했다면 어땠을까? 다른 것들은 같이 병행하되 꼭 해야 하는 중요한 일은 한 가지로 정한다면 5년 내내 같은 목표를 계속 쓰고 있지는 않을 것 같다.

모든 것을 잘 해내려 하면 매일 매년 해야 할 일이 너무 많다. 결국은 점점 지치고 해내는 일이 줄어들고 연말에 다시 똑같은 목록을 적어야 할지도 모른다.

가족 모임에서 3년은 정말 가족에게 민망할 정도로 같은 목록을 적고 있는 나 자신을 발견했다. 이제는 가장 중요한 한 가지를 정하고 나머지는 초과 달성분으로 생각하기로 했다. 다른 할 일들도 여전히 진행되고 있지만 더 이상 할 일을 만들지 않으려고 애쓴다. 하나씩 루틴으로 자리 잡아 할 일 목록이 줄어들면 또 새로운 계획들을 세워 볼 것이다.

이러한 피드백 과정은 성장을 위해서 중요한 과정이다. 혼자 하는 것 보다 믿을 만한 사람들에게 피드백을 받고 이를 수용하고 변화해 가려고 노력한다면 우리는 성장해 나갈 수 있다.

배우는 사람이라는 마인드로 성과보다는 과정 자체에 의미를 두게 되어 겸손한 마음으로 피드백을 수용할 수 있게 된다.

## 겸손한 마음으로 나누면 더 커지는 지혜

자신이 원하는 방향대로 나의 삶을 끌어가기 위해서는 집중해야 하는 것에 힘을 쓰고 나머지에는 힘을 빼야 한다.

나다운 삶이 무엇인지 내가 집중해야 할 것이 무엇인지 찾는 일은 여간 어려운 일이 아니다. 나 혼자 고민한다고 알아낼 수 있는 일이 아니다.

'이타적 자기 계발'이라는 말을 들어 보았는가?

타인의 이익을 위한 행동이 결국 자기 자신을 위한 일이 된다. 나다움을 찾는 데는 타인의 도움이 절대적으로 필요하다.

우리는 경험을 통해 나의 강점을 알게 된다. 나누면 나눌수록 내가 잘할 수 있는 일, 할수록 내가 행복한 일이 무엇인지 알아가게 된다. 우리가 살면서 경험할 수 있는 일이 얼마나 될까? 내가 속한 작은 소속 안에서 경험할 수 있는 것은 한계가 있다.

코로나 이후 온라인으로 배울 수 있고 나눌 수 있는 모임이 많이 생겼다. '집단지성'의 힘을 발휘하여 자신이 가진 것을 함께 나누고 그 안에서 자기 성장을 하는 사람들이 많이 늘어났다. 나 혼자라면 만나보지 못할 유명한 교수님, 저자와의 만남도 얼마든지 가능하다.

최근 우리나라 최초의 기록학자 '김익한 교수님'이 운영하는 <아이캔 유니버스>를 졸업하고 이후 교수님과 함께하는 특강에도 참여하고 회원들 각자가 배운 것을 익힐 수 있도록 마련된 다양한 챌린지에 참여하고 있다.

생각 코딩의 '홍진표 대표님'과도 온라인 줌으로 강의를 듣고 인지 학습컨설턴트, 독서 요약 컨설턴트 자격증 과정을 수료했다. 이후 과정을 함께 한 회원들과 독서 모임을 통해 배운 것을 익힐 수 있는 시간을 갖게 되었다.

PDS 다이어리의 <상상 스퀘어>도 자신의 제품을 사용하는 회원들을 모집하여 '씽큐베이션'이라는 무료 북클럽을 운영하는데 얼마 전에는 퓨처 셀프의 저자 벤저민 하디와 줌으로 회원들과 소통하는 시간을 갖기도 했다. 벤저민 하디도 독자의 생각을 직접 나눌 수 있으니, 서로에게 의미 있는 시간이 되었다.

자신의 재능을 나누어 주기도 하고 서로 잘하는 것은 서로 칭찬하고 아직 미숙한 부분은 격려받으며 성장한다. 자신을 낮추고 상대를 수용하는 겸손의 자세에서 얻을 수 있는 것이 아닐지 생각한다.

겸손에 대해 글을 써보니 나 자신에게 부족한 부분이 어느 부분인지 선명해진다. 매순간 겸손한 자세로 상대의 말에 귀 기울이고 나의 의견이 틀릴 수도 있다는 것을 인지하고 수용할 수 있어야겠다.

# 절 제

### 다정한 관찰자

따듯한 시선으로 아이를 바라보며 상황에 따라 적절하고 다정한 말을 건네지만, 아이의 할 일을 대신 해주거나 먼저 나서서 돕기보다는 스스로 해 볼 시간과 기회를 주는 부모 유형.

사랑하는 아이를 위해서라는 이유로 당연시하는 지금의 이 무수한 노력이, 그래서 삼키지 못하고 쏟아버린 말들이 결국 아이가 혼자서는 아무것도 할 수 없고 어른이지만 어른으로 살지 못하게 만드는 거라면, 엄마인 우리는 태도를 바꿔야 한다.

이은경 작가의 [나는 다정한 관찰자가 되기로 했다]에서 나온 내용이다.

아이들 문제에서 절제가 되는 부모가 얼마나 될까?

아이의 장래를 생각해서 공부도 많이 시켜야 하고, 먹고 싶은 것도, 갖고 싶은 것도, 필요한 것도 다 해주고 싶은 마음이 부모 마음이다.

아이에게 문제가 생겼을 때 먼저 나서서 해결해 주고 실수를 줄이기 위해서 길을 먼저 제시해 준다. 그래야 더 빨리 성공할 수 있다고 믿기 때문이다. 그래야 아이 스스로 이 험난한 세상을 살아낼 수 있다고 믿기 때문이다.

아이의 미래는 어떠한 모습인가? 그 미래는 부모가 그리는 미래인지 아이가 그리는 미래인지 생각해 볼 문제이다. 자신의 꿈을 위해 힘든 공부를 해내고 하고 싶은 것들을 절제하는 것은 너무나도 필요하고 중요하다. 그것이 진정 자신의 꿈을 향하고 있는 것이라면 말이다.

절제는 진정으로 원하는 것에 모든 것을 쏟아 내기

위해 필요한 품성이다. 그러기 위해서는 자신만의 보석을 발견하는 것이 우선이다. 자신이 진정으로 원하는 것이 무엇인지, 하고 싶은 것이 무엇인지, 좋아하는 것은 무엇인지, 소중하게 생각하는 것은 무엇인지 발견하게 되면 다른 많은 유혹을 절제할 수 있다.

자신의 보석을 찾아내서 몰입할 수 있도록 부모는 어떤 태도로 아이를 대해야 할까?

다양한 경험과 실패를 허락해야 한다.

실패를 통해 자신의 상황을 제대로 알아 가는 것은 진정한 메타인지를 향상하는데 큰 도움이 된다. 실패 경험을 통해 실수를 견디는 법도 배울 수 있다.

자신을 제대로 아는 사람은 자신을 컨트롤 할 수 있게 된다. 이것은 공부하는 데에도 아주 중요하게 작용한다. 자신이 한 공부가 부족한지 충분한지 파악이 된다면 부족한 부분에 집중할 것이고, 충분한 부분에 헛된 노력을 하지 않아도 될 것이다.

자신의 판단에 대해 생각할 시간을 주어야 한다. 요즘 아이들은 너무 빠르게 돌아가는 세상 속에 살아간다. 궁금한 게 있으면 바로 답을 얻는 방법이 곳곳에 깔려있다. 생각할 시간조차 없이 하루 종일 손안에 핸드폰을 들고 있다. 릴스나 쇼츠 영상이 계속 새로운 것을 보여준다. 우리 뇌에 계속 주입만 하는 것이다. 뇌는 입력을 멈추어야 인출을 하고 생각을 키워 갈 수 있는데 그럴 시간이 부족하다.

자신만의 기준을 세우고 행동할 수 있어야 한다. 그렇지 않으면 누군가가 만들어 놓은 행동설계 시스템에 따라가게 된다. 손안에 들고 있는 작은 기계 속에서 보여주는 많은 유혹을 따라 내가 원하는 것이 아니라도 아무 생각 없이 행동하게 될 수 있다.

우리 부모가 할 일은 그런 아이들에게 생각 할 시간을 주고 스스로 자꾸 실패해 볼 수 있도록 기회를 만들어 주는 것이라고 생각한다.

그 방법은 각자의 아이들을 관찰하고 실패 경험을 통해 배워 가는 수밖에 없다.

부모 또한 항상 염두에 두어야 한다. 나의 목표는 무엇인지. 아이를 어떻게 키우고 싶은 건지. 진정으로 아이에게 바라는 것은 무엇인지. 그것을 위해 지금 나의 행동이나 말이 적합한 것인지 인지하고 판단하는 것이 필요하다.

# 존 중

인간관계에 있어 가장 기본이 되는 품성이 존중이다. 사람은 누구나 인정욕구가 있다. 인정받고 싶어 하는 마음은 누구에게나 있고, 어느 정도의 인정욕구는 우리를 성장하게 만든다.

인정욕구가 너무 강해지면 인정 중독이 될 수 있다. 모든 일의 기준이 다른 사람들의 시선에 가 있는 경우가 그렇다. 다른 사람 눈에는 어떻게 보일지, 다른 사람들 눈에 좋게 보이는 것은 어떤 모습일지. 자신의 평가 기준이 다른 사람에게 인정받는 것에 있으면 그렇지 못한 상황에서는 불안하고 힘들어진다.

나의 경우도 크게 그런 건 신경 쓰지 않는다고 생각했는데 남편하고 대화 중 화나는 감정일 때를 떠올려 보니 나를 인정해 주지 않았을 때였다. 남편 또한 대화 도중 화를 내는 경우는 자신을 인정하지 않고 의견을 무시당하는 느낌을 받을 때였다.

TV프로 [티처스]에 나온 학생 중 오답 노트 정리도 너무 잘하고 수학을 빼고는 성적이 좋은 학생이 있었다. 수학 공부를 하는 모습을 보고 수학 담당 정재승 선생님은 이 학생은 예뻐 보이게 공부하는 학생이라고 진단을 내렸다. 공부의 내용을 아는 것보다 풀이 한 노트가 예뻐야 하고, 빨리 풀 수 있는 문제가 아니면 풀 수 없는 문제로 여기고 바로 오답 풀이를 한다. 노트를 보기 좋게 만드느라 긴 시간을 허비한다. 이런 공부 방법은 공부를 전혀 하지 않는 상태와 같다고 했다. 영어 담당 조정식 선생님도 영어를 암기해서 푸는 것이지 진짜 실력은 아니라고 했다.

왜 이런 결과가 나왔을까? 어려서부터 선행을 해 왔고, 영어 유치원부터 대치동 학원까지 다니며 계속 공부를 해 온 학생인데 어디서부터 잘못된 것일까?

이 학생에게는 동생이 있는데 아이큐가 무려 130이 넘고, 중1 학생이 고2 수학 선행을 하고 있었다. 어려서부터 어린 동생과 비교를 당했을 것이고, 현재 하는 공부가 너무나 느린 것 같아 걱정하는 부모의 시선을 받으며 자란 것이다.

자신도 모르는 사이 빨리 해야 한다는 강박이 생겼고, 내가 인정받을 수 있는 것 중 예쁜 글씨와 잘 정돈된 오답 노트를 선택한 것으로 생각한다.

부모는 아이의 미래를 위해서라는 말로 지금 아이들에게 알게 모르게 상처를 주고 잘못된 프레임을 씌운다. 부모가 논리적이고 생각이 확고할수록, 아이들이 순해서 엄마 말을 잘 들을수록 그 현상은 더 심해진다.

인정 중독에서 벗어나려면 어떻게 해야 할까?

[내면소통],[회복탄력성]의 저자 김주환 교수님의 말을 빌려보면 세상에 무슨 일이 있어도 나의 진정한 본질, 가치는 변하지 않는다.

그냥 나는 나이다. 나의 가치는 주변 사람의 평가에

달려 있지 않다. 타인의 평가에서 벗어나야 한다. 상대방에게 나를 평가할 권한을 주지 말라. 대상도 없는 누군가를 신경 쓰느라 가짜 인생을 살지 않도록 해야 한다. 다른 사람들을 자세히 들여다보면 그들도 나만큼 힘들다. 그들이 나에게 신경을 쓰고 평가할 만큼 여유 있지 않다. 그런 사람이 있다면 나만큼 아프고 힘든 것이다.

존중은 상대를 이해하고 상대의 입장에서 생각하고 상대에게 맞추어 주는 것이다. 그 바탕에는 자신을 이해하고 자신을 존중하는 마음이 있어야 한다.

자신의 가치를 인정하지 못하는 사람이 타인의 가치를 인정해 주는 것은 진정한 인정이 아닐 수 있다. 마음속에는 상대에 대한 부러움, 질투가 생길 수도 있다.

나 자신을 존중하고 인정하는 사람이 타인을 있는 그대로 인정 해주고 수용할 수 있다. 나의 기준이 아닌 상대의 기준에 맞추어 생각해 줄 수 있어야 한다. 그런 유연함이 존중의 가치이다. 아이들이 성장하고 변화는 시기에 맞게 부모도 유연하게 변해야 한다.

존중의 또 다른 가치는 그 사람의 경계를 지켜 주는 것이다. 자신의 경계를 지켜 주는 환경에서 자란 아이들은 타인에게 지켜야 할 선을 넘지 않는다. 역으로 나의 경계를 침범하는 사람을 거절할 줄 알게 된다.

어릴 때부터 가정에서 아이들의 경계 교육이 행해져야 하는 이유다. 방에 들어갈 때는 노크를 하고 아이들에게 하는 스킨십도 물어보고 하는 것이 좋다. 아이가 거부할 때는 하지 않아야 한다. 이는 성교육에서도 가장 기본이 되는 지침이다. 추가하자면 집에서 가족이라고 샤워 후 알몸으로 다니는 행동은 삼가는 것이 좋다.

상대를 존중하는 사람으로 키워내려면 존중받는 아이로 키워내야 한다.

존중의 가치는 팀워크로도 발전할 수 있다.

좋은 팀워크를 만들기 위해서는 마음과 마음이 연결되는 공동체를 만드는 것이 중요하다. 공동의 스토리가 있는 팀, 가치와 꿈이 공유되는 팀이 되려면 서로를 존중하고 서로를 가치와 꿈을 나누고 수용해야 한다.

가정에서도 부모가 기준을 세우고 좋은 가치들을 공유하는 것을 게을리해서는 안 된다. 좋은 가치들을 심어 주기 위해 좋은 방법이 무엇인지 연구하고 적용해야 한다. 아이들이 자신만의 가치관들을 만들어 가는 과정은 혼자 갑자기 만들어지는 것이 아니다. 자라난 환경에 의해 형성되는 것이다.

아이를 낳은 책임으로 무언가 해 줘야 한다면 그 첫 번째는 아이가 처음 만나는 환경이고 가장 오래 만나는 환경에 무엇을 심어 줄지 고민하고 좋은 가치를 심어 주도록 노력하는 것이 아닐까.

아이를 하나의 독립된 객체로 보고 한 존엄한 존재로 여긴다면 나보다 작은 체구라서 연약한 존재라서 함부로 하는 일은 없을 것이다.

나 자신을 존중하는 마음으로 아무리 작은 존재라도 나만큼 존중하는 마음으로 살아간다면 이 세상은 참으로 따듯한 세상이 될 것이다.

# 제4화 인연

살아가면서 나에게 영향을 주는 많은 환경 중 가장 중요하고 크게 작용하는 것은 사람과의 관계라고 생각한다. 어린 시절부터 크게 가진 것이 없었기에 다른 환경적 요소에서 기대할 수 있는 것이 없었고 나 자신만 잘하면 무엇이든 생성해 낼 수 있고 좋은 사람들과의 관계 속에서 재산보다 값진 많은 것들을 얻을 수 있다고 믿게 되었는지도 모른다.

  이 나이만큼 살다 보니 경제적으로 부유한 사람들은 부유한 만큼 지켜야 하는 것들이 있고 가진 만큼 번뇌가 있다는 것을 알게 되었다. 더 많이 갖지 못해서 혹은 가진 것을 잃어버릴까 봐 불안해한다. 가난하게 살았던 것이 주는 장점은 지금 가진 것에 감사하고 만족할 수 있다는 것이다. 더 많이 갖지 못해 힘들어하거나 슬퍼하지는 않는다는 것이다.

  가난해지기를 원하는 사람은 없을 것이다. 나도 내가 하고 싶은 것을 마음껏 할 수 있을 만큼 경제적인 자유를 갖기를 원한다. 하지만 그것이 삶의 목적이 될 수는 없다. 내가 좋아하고 원하는 일을 열심히 쫓아가다 보면 적든 많든 내가 얻을 수 있는 것에 만족감이 더 클 것이라는 기대가 있다.

그 가치는 돈의 크기가 아닌 나의 꿈의 크기가 더해진 크기로 내게 다가올 것이기 때문이다.

나는 단기에 무언가를 크게 얻으려는 것을 경계한다. 그 대가는 시간과 돈을 잃게 한다는 것을 젊은 시절 경험했기 때문이다.

# 가장 소중한 인연

나에게 온 인연 중 가장 처음이고 가장 소중한 인연은 바로 우리 엄마이다. 아버지가 어린 시절 갑자기 돌아가시고 엄마 혼자 우리 삼 남매를 키우셨기 때문에 어려운 환경이었다. 다행히도 성실하고 사랑 많은 엄마의 보호 아래 커서 우리는 가난해도 먹을 것이 풍족했고 깨끗하게 매일 씻겨졌고 밝고 유쾌했다.

아무리 힘들어도 아침밥을 꼭 챙겨 주셨고, 야간자율학습을 하던 시절에는 따듯한 도시락을 먹이려고 바쁜 시간에 틈을 내서 학교 앞까지 꽤 먼 길을 걸어서 오시곤 했다. 채소를 다져서 만든 계란말이, 콩자반, 멸치볶음, 감자볶음, 김치, 구운 김 등이 반찬이었는데 어린 시절 나는 그 반찬들이 가끔은 지겹기도 했다. 결혼해서 그 맛을 재연해 보려고 시도해 보고서야 알 수 있었다. 얼마나 많은 시간과 정성이 들어가는 반찬들인지. 나의 셔츠는 항상 빳빳하게 다려져 있었는데 난 옷감이 워낙 그런 종류인 줄 알았다. 나중에 알고 보니 매번 풀을 먹여서 다려주시는 것이었다.

바깥일도 해야 하는데 집안일 어느 것 하나 소홀한 게 없었다. 얼마나 고단하셨을까. 혼자 견디는 것이 얼마나 힘드셨을까. 온통 우리를 잘 키우는 일에 집중되어 있었기에 모두 견뎌 내셨던 것 같다.

지금도 나는 무언가 하기 싫은 일이 생기면 엄마는 이럴 때 어떻게 하셨을까? 지금 바로 하셨겠지. '눈이 게으르지, 손만 대면 금방 해결된다.'라는 엄마의 말씀을 떠올리며 하기 싫은 일을 한다. 엄마에겐 불가능은 없다. 망설임도 없다. 일단 시작하고 시작한 일은 끝이 난다. 우리 아이들에게 잔소리보다는 행동으로 보여줘야 함을 상기하게 된다.

지금 나의 긍정적이고 낙천적인 성격은 엄마의 성실함과 당신이 처한 상황에서 할 수 있는 최선을 다하는 모습을 보고 자란 덕에 생긴 것이다. 가지지 못한 것에 집중하기보다는 가진 것에 감사할 줄 알고 그것을 바탕으로 새로운 것을 생산해 내는 힘을 가지신 분이다.

모든 일이 그렇듯이 돌이켜보면 더 효율적이고 더 생산적인 방법은 분명히 있다. 하지만 그것을 고민하고 가려낼 여유는 없으셨을 것이다. 안타까운 것이 있다면 가지고 있는 것을 지키기보다는 생산성 있는 일에 몰두하시다 보니 가진 것을 잃기도 했고 몸과 마음이 상하는 일도 일어났다. 하지만 그런 것들을 탓하고 과거에 매여 안타까워할 마음의 여유가 없었다. 엄마의 그런 상황들이 엄마를 살게 했을지도 모르겠다.

그렇게 온 생을 다 바쳐 우리를 키우시고도 내가 아이들 키우는 모습을 보며 당신이 그때 해주지 못한 것들을 미안해하신다. 지금도 딸이 힘들지 않게 손질하고 다 씻어서 반찬을 보내시고, 부피가 커서 많이 못 보내니 시금치를 다듬어 씻어 데쳐서 보내시는 우리 엄마. 나를 태어나게 하고 나를 자라게 하고 나를 지켜내게 하는 힘의 근원은 나의 엄마이다.

이름도 사랑 가득한 빼어날 수(秀), 사랑 자(慈) 정수자 여사님. 로션 하나 제대로 바르지 않아도 엄마는 늘 곱다. 목소리도 우아하다. 엄마는 늘 사랑스럽다.

엄마 더 이상 주지 못한 것들을 안타까워하지 마세요. 엄마가 몸소 보여주신 희생과 사랑이 끈기와 인내가 고요한 열정이 우리에게 주신 가장 큰 유산입니다.

사랑합니다.
나의 엄마.

## 나와 맺어진 인연

**내가 선택할 수 없는 인연이 있다.**

태어나보니 엄마, 아빠의 딸이고, 여동생과 남동생이
생겼다. 아빠는 일찍 돌아가셨지만, 외가와 친가에 가
족이 많아 우리 집은 늘 북적였다. 이런 인연은 내가
선택 할 수 있는 환경이 아니다. 그럼에도 그 환경에
의해 우리 삶의 대부분이 결정되고 영향을 받는다. 요
즘 말로 금수저, 흙수저라는 것도 태생이 부자인지, 가
난한지를 확인해 주는 말이다.

결혼을 하고 아들 둘을 낳았다. 이 아이들도 태어나 보니 엄마가 조연경이다. 엄마가 처음인 나는 책에 나온 대로 옆집 엄마들의 말에 귀 기울이며 아이들을 키우던 시절이 있었다. 현재도 어느 정도는 참고하고 있지만 지금은 내가 가진 생각대로 다른 사람들과는 조금은 다른 방식으로 아이들을 키우고 있다. 강남권에 살면서 영어, 수학학원에 거의 보내지 않고 아이들을 키우고 있으니 평범한 방법은 아니다.

나의 공부는 아이들의 공부와 함께 범위를 넓혀가고 방향을 찾아갔다.

처음에는 학습 코칭 공부를 시작하면서 아이도 코칭을 받게 했고, 품성 독서 교육에도 함께 참여했다.

코로나로 온라인 수업이 성행하던 시기에 인연을 맺은 선생님과 2년여 기간 동안 다양한 독서 수업을 하였고, 나는 성인반에서 진행하는 대부분의 강의에 참여하고 그림책 선생님의 꿈도 키웠다.

생각 정리가 필요한 시점에 생각 코딩이라는 프로그램을 만나 두 아이 모두 수업을 받게 했다.

3p 바인더를 시작으로 P.D.S 다이어리를 거쳐 지금은 이룸 다이어리를 쓰는데 아이들도 함께 플래너 쓰기를 하고 있다.

이렇게 돌아보니 아이들을 위해 시작한 공부가 나를 나의 삶 전반에 영향을 미치고 있다. 아이들을 위해 시작한 일이 결국 나를 위한 일이 되었고 나의 삶에 전반을 이루고 있는 일이 되었다.

**나의 선택으로 맺은 인연들이 있다.**

그 중 물리적으로 가장 가까이에 있고 현재 나의 보호자이며, 나의 아이들과도 혈연으로 맺어진 인연이 있다. 아이들의 아빠이자 나의 배우자, 남편이다.

우리는 대학 동기이자 친구로 지내면서 친구 같은 연인으로 10년을 만나 결혼을 했다. 군대를 가기 전에 헤어지고 어색한 친구의 관계에 있었는데 군대에서 제대하고 온 그를 외면 할 수가 없었다.

이런 것이 인연인 건가.

한 번도 이 친구를 본 적이 없던 엄마는 첫 만남부터 이 사람을 좋아했다. 너무 착하게 생겼다고 좋아했다. 오랜 시간 동안 날 지켜줘서 고맙다고 했다. 지금도 진 서방이 좋아하는 것은 지나치지 못하고 챙겨 보내신다.

얼마 전에 우리 둘은 전생에도 부부였다는 재미난 말을 들었다. 전생의 부부는 일단 만나면 끌릴 수밖에 없다는 이야기를 들으며 운명으로 받아들이기로 했다.

찰랑찰랑한 단발머리에 깡마른 기타리스트. 메탈리카 음악을 내게 들려주던 평범하지 않은 그가 나는 좋았다. 낯선 곳에 와서 대학 생활을 하는 나를 외면하지 않고 친한 친구라고 말해주는 이 친구가 고맙고 설레었다. 한때는 지하철로, 버스로 2시간이 넘는 거리를 거의 매일 만나러 와주고, 자전거로 출근길에 데려다주기도 했던 시간들은 아마도 그만의 스타일로 나를 사랑했던 것이리라.

지금의 우리는 너무 가깝지도 멀지도 않은 거리를 유지하며 살아가고 있다. 그 사이에 두 아들이 그 거리를 유지시켜 주고 있는지도 모른다.

서로 다른 환경에서 자란 남자와 여자가 호기심으로 만나 한때는 사랑을 하고 서로만을 바라보고 살 것처럼 결혼한다. 가정을 이루고 나서는 각자의 자리에서 최선을 다하고, 서로 닮기도 하고 또 너무 다르기도 한

다양한 모습들과 부딪히며 살아간다.

사랑은 서로 마주 보는 것이 아니라 같은 방향을 바라보는 것이라는 말에 고개가 끄덕여진다. 살다 보니 서로 마주 보는 시간을 만들기가 점점 어려워진다.

아이들 일이라면 두손 두발 다 걷어붙이고 나서 주는 남편이 있어 나의 육아는 매우 수월했다. 주변에서 남편이 가정적이라 좋겠다고 하는 사람들의 말을 너무 많이 들어왔다. 아이에게 모든 시선이 향해있는 남편에 대한 나의 마음이 조금은 서운했다면 너무 유치하게 느껴지려나.

나는 부부간에 대화가 부족하다는 생각이 많이 들었다. 나에게 너무 무관심하다는 생각이 들었고, 그러다 보니 불만 섞인 말을 하게 되면서 10여 년 만에 큰소리 내어 말다툼을 하기도 했다. 그런데 오히려 그게 더 사는 것 같았다. 더 부부 같고, 더 가족 같았다.

어떤 지인은 내가 남편이랑 말다툼했다고 하니 '다행이다'라고 했다. 내가 남편 이야기를 터놓고 하는 것이 오히려 건강해 보였다는 것이다.

그만큼 서로를 배려하고 이해하는 관계였고, 반면에 서로 자신의 마음을 말하지 못하는 관계이기도 했다. 늦게라도 나의 마음을 소리로 드러낸 것은 잘한 일이라고 생각한다.

나는 말하지 않아도 알아주길 바랐고, 그는 말하지 않으면 알지 못하는 천상 남자다. 이제는 그 사실을 인정하고 받아들이고 있다. 함께 해 온 긴 세월이 우리를 닮게도 하고 무심하게도 하였다.

생각해 보면 나도 그에게 그리 다정한 아내는 아니었다는 생각이 든다.

그가 그래서 내가 그런 건지, 내가 그래서 그가 그런 건지는 모르겠지만 분명한 건 우리는 오래된 친구이다. 너무나 잘 알지만 또 너무나 잘 모른다.

이제는 다른 환경에서 살아온 시간보다 같은 환경에서 살아온 시간이 더 많아졌기에 서로의 성격이나 기분, 장단점을 어느 정도는 파악하게 되었다. 하지만 모르는 부분 또한 많다.

남편은 자신의 일과 사회에서 맺어진 인간관계 속에서의 모습이 있을 것이고 나 또한 나만의 시간과 인간관계를 이루며 형성된 새로운 모습들이 있다.

나이가 들어 아이들이 성인이 되고 독립하게 되면 그때는 또 다른 두 사람이 마주하게 될지도 모른다. 서로 모르는 부분이 더 많은 두 사람. 그땐 다시 서로를 알아가야 할지도 모르겠다.

지금 나를 둘러싼 환경 중에 나에게 가장 큰 영향을 미치는 것은 가족이라는 환경이다.

남편과 두 아들, 함께 사는 나의 든든한 지원군 나의 여동생, 그리고 엄마와 엄마를 모시고 있는 나의 남동생, 시부모님과 시부모님을 모시는 시누이들.

그저 존재하는 것만으로도 나에게 큰 영향을 미치는 환경이다. 알게 모르게 나에게 도움의 손길을 주는 환경이다. 내가 하는 크고 작은 선택은 가족들의 경제적, 물리적, 정신적 도움을 바탕에 두고 이루어진다.

일일이 나열할 수는 없지만 내가 하는 일에 든든한 지원군이 되어 주는 나의 가족 모두에게 항상 감사함을 느낀다.

나는 우리 가족 모두를 너무너무 사랑한다.


**내가 선택한 또 다른 인연들..**


이 나이가 되고 보니 오래된 인연들이 늘어난다. 큰아이 1학년 때 만난 엄마들은 벌써 십년지기 친구가 되었고, 작은 아이 1학년 때 만난 엄마들은 7년째 만남을 이어오고 있다. 여고 동창생은 동창 모임을 한 지가 5년이 넘었고, 대학 동기들도 중간에 못 만난 시간이 있었지만 20년이 넘는 오래된 친구들이다.

따로 관계를 맺기 위해 노력하는 편은 아니지만 동네 슈퍼마켓 사장님과도 꽤 친하게 지낼 수 있는 것을 봐서 나는 친화력이 좋은 편인 것 같다. 어디서든 일이 생기면 그냥 못 넘어가는 오지라퍼라서 그럴지도 모르겠다. 그 덕에 길을 가다 보면 알아보고 인사하는 사람도 많다. 큰아이가 어린 시절 놀이터에 가면 아이는 모르는 엄마 친구들이 아이를 알아보고 여기저기서 불러대서 놀이터를 못 가겠다고 하는 웃지 못할 일들도 있었다.

최근에는 직접적인 만남을 통해 맺은 인연이 아닌 온라인상에서 만난 사람들과의 인연도 꽤 많아졌다.

코로나로 오프라인이 아닌 온라인 교육플랫폼이 늘어났고, 직접 가서 받는 교육이었다면 하지 않았을 과정도 쉽게 접근하여 교육받았다.

그 과정에서 모임이 하나둘 늘어났고 서로 니즈가 같은 사람들의 모임이다 보니 꾸준히 유지되고 있다.

이 책에 쓰인 글 중 교육을 통해 얻은 통찰이나 교육의 내용을 담은 것들이 많다.

타인에게는 긍정적이고 수용적인 편이나 나에게 만큼

은 항상 부족함을 느끼는 나였다. 공부를 하면서 만난 분들과의 대화 속에서 나 자신을 부정하고 있는 나를 발견하였다. 이후 나의 장점을 발견하려고 노력했고, 조금씩 성장함을 느끼고 희망을 갖게 되었다.

이러한 모든 관계는 나의 선택으로 만들어진다. 의식하든 의식하지 못하든, 자발적이든 비자발적이든, 우연이든 필연이든 간에 모두 나의 선택에 의한 관계이다.

어떤 인연은 나에게 힘이 되어 주기도 하고 어떤 인연은 나로 인해 힘을 얻기도 한다. 내가 누군가에게 받은 사랑을 또 다른 누군가를 향한다.

때로는 나를 힘들게 하는 인연들도 있다. 가끔은 혼자 숨어버리고 싶을 때도 있다. 살다 보면 사람들 관계 속에 직·간접적으로 여러 가지 일들이 일어나고, 여러 가지 감정들이 오고 간다.

그 당시에는 이해할 수 없는 일들이 나중에는 이해가 되기도 하고, 이해되지 않아도 그대로 수용되기도 한다.

나이가 들면 가장 필요한 것이 같이 밥 먹을 친구라고 한다. 그래도 밥 먹어 줄 친구 몇은 있다고 생각하니 든든하다. 나의 벗들과 오래오래 함께 할 수 있는 건강한 몸으로 나이 들어가기를 바란다.

젊은 친구들과의 교류도 어색하지 않도록 세상 돌아가는 이야기에 귀 기울이고, 어른으로서의 어질고 현명한 생각들을 나누어 줄 수 있는 나로 나이 들어 가길 바란다.

먼 훗날 나의 아이들이 세상살이가 고되고 힘들 때 나를 찾아와 위안받고 살아갈 희망을 얻을 수 있는 안식처가 되어 줄 수 있기를 나는 소망한다.

# 작가의 말

온 우주로 보자면 티끌 같은 존재이고 타인의 시선으로는 평범하기 짝이 없는 인생이지만 삶은 개개인 자신에게는 온 우주이며 매 순간 치열하고 특별하다.

나의 삶은 오로지 나만 감각 할 수 있다. 이것이 나에 대한 나의 특권이다. 지금 나의 앞에 50이라는 숫자가 놓여있다.

치열했던 나의 청춘 시절이 지나갔고 나의 아이들이 나의 키를 넘어섰다. 이 글은 과거를 통해 존재하는 현재의 나에 대한 기록이며 미래의 나에게 쓰는 편지다.

'생각하는 대로 살지 않으면 사는 대로 살게 된다.' 나답게 살기 위해서는 내가 원하는 대로 살기 위한 노력이 필요하다. 삶의 중력에 맡기는 것이 아닌 중력을 거스르는 힘을 갖는 것, 그것은 바로 나의 꿈을 향한 나의 의지일 것이다.

누군가 꿈은 명사가 아니라 동사라고 한 말을 기억한다. 나는 아름다움을 느낄 수 있는 시간과 타인을 배려할 수 있는 마음의 여유를 가진 나를 꿈꾼다. 사람들과 나눌 수 있는 지혜와 건강을 갖기를 소망한다. 함께 밥을 먹을 친구와 인생을 논할 수 있는 친구, 그리고 아무 말 없이 함께 있어도 편안한 친구를 꿈꾼다. 나에게 어울리는 옷을 입고, 가고 싶은 곳에 갈 수 있는 여유를 갖기를 원한다.

그러기 위해서 지금 내가 갖추어야 할 기본 품성은 무엇이며, 살면서 지켜야 할 것들은 무엇인지, 배워서 익혀야 하는 것은 어떤 것인지 감각하고 사유하고 실행하려고 노력한다.

나는 아직 진정으로 내가 원하는 삶이 어떤 삶인지 알지 못한다. 그것을 알아가는 과정 자체가 삶이고 그 과정에서 나는 조금씩 나의 본질과 가까워질 것이다. 글쓰기는 나를 알아가는 데 구체적인 길잡이 역할을 해준다.

작가라는 이름과는 거리가 먼 내가 여기저기 흩어져 있던 글들을 모아 책을 낼 수 있었던 것은 희망도서관의 품성 독서 모임을 통해 좋은 교육과 나눔을 실천해 주시는 분들의 배려가 있어서이다.

교육의 장을 마련해 주신 품성 교육 이창준 대표님과 글쓰기 강의를 해주시고 출판까지 가능하게 해주신 이석현 선배님께 감사한 마음을 전한다.